······

Verdwaald op de kermis

Selma Noort
Tekeningen van Marja Meijer

Zwijsen

op weg

LEESNIVEAU

	ME	ME	ME	ME	ME		
AVI	S	3	4	5	6	7	P
CLIB	S	3	4	5	6	7	8	P

verdwalen; alleen zijn

Toegekend door Cito i.s.m. KPC Groep

1e druk: 2009
ISBN 978.90.487.0336.4
NUR 282

Deze titel is eerder verschenen bij Uitgeverij Zwijsen in de serie Bolleboos. Oorspronkelijke uitgave: 1997.

Vormgeving: Rob Galema
Uitgeverij Zwijsen B.V., Tilburg

Voor België:
Uitgeverij Zwijsen.be, Antwerpen
D/2009/1919/242

Inhoud

 ……

1. Het wordt al donker

'Michiel! Heus, we gaan nog niet eten. En het duurt nog wel een halfuur voordat tante Corrie en Emma er zijn. Ga nou nog maar even buiten spelen of zo! Misschien zijn er nog meer kinderen op straat. Het regent niet meer. Pak je fiets en ga lekker fietsen, joh.'

'Nee, ik wil bij jou blijven.'

Met de stamper bonkt Michiels moeder in de pan die ze bijna nooit gebruikt, hun allergrootste pan. Hete stoom walmt omhoog in haar gezicht. Ongeduldig blaast ze een vochtige sliert haar weg uit haar ogen. Het aanrecht trilt van het stampen. De stoom krult om de keukenkastjes en drijft weg, het open bovenraampje door, naar buiten.

Het hele huis ruikt naar hutspot. Zelfs buiten in de tuin ruikt het ernaar. Overal in de stad wordt hutspot gekookt. In de huizen, de restaurants en de eetcafés. Pannen en ketels vol voor het drie-oktoberfeest morgen.
Tussen de middag mocht Michiel naar de groenteman om peen en uien voor de hutspot te halen. Hij moest wel een halfuur in de rij staan. De groenteman bleef volle kisten uien en winterpeen uit zijn donkere hok achter de winkel aanslepen.
In de stad Leiden betekent hutspot feest. Michiel woont in Leiden en dus is hij gek op hutspot. Het betekent optocht, laat opblijven en kermis in de stad!
'Mam, alleen Leidenaars hebben morgen vrij, hè?'
'Ja, als je niet in Leiden woont, dan moet je gewoon naar school en naar je werk.'
'Wij boffen, hè mam? Wij hebben kermis en verder niemand! Mag ik alvast een stukje gehaktbal? Mam, mag het? Mam?'
'Vooruit dan maar, hier, een halve gehaktbal. Brand je mond niet, hij is heet.'
Michiel glundert. Met zijn halve gehaktbal aan een vork geprikt, loopt hij naar het raam. Hij gaat op de vensterbank zitten en zet het raam een stukje open.
Buiten dansen herfstbladeren over de straat. Het is weer gaan motregenen. Dat hoort zo, want vanavond begint het feest al. Vanavond is er een enorm lange optocht, de taptoe, en dan mag hij zijn nieuwe winterjas aan. Michiel vindt dat het hoort

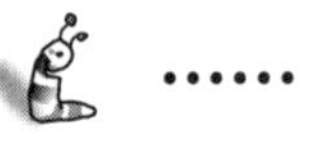

te regenen en te waaien als er taptoe is. Dat maakt het extra spannend. En natuurlijk komen tante Corrie en zijn nichtje Emma.
Tante Corrie is zijn moeders zus. Net als zijn moeder is ze ook in Leiden geboren. Elk jaar komt ze op twee oktober uit Den Haag naar de stad. Om hutspot te eten bij haar zus, want die maakt het zo lekker, zegt ze altijd. En om naar de taptoe te kijken en alvast even naar de kermis te gaan. Daarna ligt ze de halve nacht te giechelen naast Michiels moeder in het grote bed. Net als vroeger, toen ze nog kleine meisjes waren. Toen sliepen ze ook samen in één bed. Michiels vader moet vannacht op de bank slapen. Gelukkig vindt hij dat niet erg.
Emma mag bij Michiel op zijn kamertje slapen. Het luchtbed en de slaapzak liggen al klaar naast zijn bed. Op drie oktober staan ze vroeg op, om maar niks te missen van het feest in de stad. Om haring en wittebrood te eten en suikerspinnen, en poffertjes, paling en rookworst.
Michiel bijt kleine hapjes van zijn gehaktbal af. Hij wil er lang mee doen. Zijn vrije hand steekt hij uit het raam. De motregen voelt koud aan. In de verte hoort hij een draaiorgel. Hij duwt zijn neus tegen de ruit en kijkt alle kanten op, maar hij ziet nergens een draaiorgel. Toch komen de klanken dichterbij. Hij hoort nu ook het geluid van paardenhoeven op de straatstenen. Hij trekt aan het raam tot het wijd openschiet en de wind naar binnen komt. Het gordijn bolt op. Michiel steekt zijn hoofd naar buiten. De koude motregen valt in zijn blote, warme

nek. Een rilling loopt over zijn rug naar beneden. Nu ziet hij het draaiorgel. Het wordt voortgetrokken door een vuilwitte pony met lange manen. Het komt zijn kant uit. Het orgel speelt een droevig lied. Met gebogen hoofd loopt de orgelman naast zijn pony. Hij houdt hem vast aan zijn halster. Voor Michiels huis houdt hij even stil om de regendruppels van zijn pet te slaan. De pony schudt zijn natte manen. De orgelman knipoogt naar Michiel en Michiel zwaait naar hem.

'Dag!' roept hij.

Het orgel rijdt voorbij. Twee beschilderde poppen slaan precies tegelijk met een zilveren hamertje tegen een belletje. De trommels binnen in het orgel roffelen.

Michiel blijft kijken tot het orgel bijna de straat uit is gereden. Opwindende geluiden waaien uit de stad met de wind mee. Sirenes, misschien de brandweer, misschien de politie. Heel ver weg gestamp en gedreun van de kermis. Geschreeuw en gejuich op straat, muziek. En dof gerommel dat lijkt op onweer in de verte. Maar het is geen onweer. Het zijn muziekkorpsen die overal vandaan naar het midden van de stad toe marcheren.

Met een klap trekt hij het raam dicht.

'Mam! Ik heb m'n gehaktbal op. Ik hoor de muziekkorpsen al! En de kermis is begonnen. Het regent weer ... Heb je mijn winterjas al van boven gehaald? Mam! Het wordt al donker.'

2. Lekker schreeuwen

Michiels moeder is boven. Michiel rent de trap op. Hij hoort geluiden in het kamertje van Pelle, zijn kleine broertje. Mama is bezig Pelle aan te kleden.
'Je mag mee naar de optocht, Pelle,' zegt ze. 'Mama neemt de kinderwagen mee en de paraplu en wat lekkers voor onderweg.'
'Zijntjes?' vraagt Pelle met zijn hoge stemmetje.
Hij is gek op die kleine doosjes rozijnen. Michiel niet. Hij heeft een hekel aan dat plakkerige gepulk. Gelukkig weet zijn moeder dat wel. Ze zegt tegen Pelle: 'Rozijntjes voor Pelle, en chips voor Emma en Michiel.' Ze tilt Pelle op en geeft hem klapzoenen op zijn wangen. Pelle giechelt.
De deurbel gaat.
Michiel rent voor zijn moeder uit naar beneden en rukt de deur open. Tante Corrie en Emma staan voor de deur. De wind duwt hen de gang in.
'Hoera! Ik ruik hutspot!' roept tante Corrie.
'Ik heb morgen ook vrij!' schreeuwt Emma tegen Michiel. Stampend veegt ze haar voeten op de mat. 'Mam heeft het aan mijn juf gevraagd en het mocht! Ik heb de kermis al gezien toen we uit de trein kwamen. Twee spookhuizen, man! Eentje met een heel enge reuzenheks die rondvliegt op een bezem! Ik schrok me dood. Echt waar! En een groot reuzenrad, joh! Daar durft mama nooit in, want die heeft

hoogtevrees! Hahaha!'

Michiel vindt het heerlijk dat Emma er is. Ze schreeuwt altijd zo leuk, ook al ergert tante Corrie zich daaraan.

'Je kunt de kermis hier helemaal horen!' schreeuwt Michiel terug. Hij wil Emma meetrekken naar het raam.

'Hé, laarzen uit! Jas aan de kapstok. Handen wassen, we gaan eten!' schreeuwt zijn moeder.

Michiel schiet al in de lach, want nu komt het. Nu zegt Emma altijd hetzelfde, heel bedaard.

En ja hoor: 'Je hoeft niet zo te schreeuwen, tante Heleen,' zegt ze eigenwijs.

En net als altijd schudt zijn moeder zogenaamd wanhopig haar hoofd.

Tante Corrie heeft Pelle al op haar arm. Ze buigt zich voorover om Michiel een zoen te geven. De zoen komt een beetje op zijn neus terecht, omdat hij al weer wegloopt. Hij wil de tafel gaan dekken. Ze moeten opschieten; straks komen ze te laat. Dan staan ze helemaal achteraan op de stoep en dan zien ze niks van de taptoe.

'Wat heeft je moeder erbij gemaakt?' schreeuwt Emma in de keuken. 'Draadjesvlees of gehaktballen?'

Michiel tilt het zware deksel van de oranje braadpan een stukje omhoog. Emma gluurt door de kier.

'Gehaktballen!' zegt ze. 'Lekker! Pak jij de borden? Dan pak ik de vorken en messen.'

Tante Corrie zet Pelle in de kinderstoel. Michiels moeder brengt de pannen binnen. Na veel geschuif

met de stoelen zitten ze eindelijk alle vijf.
Opscheppen doet Michiels moeder altijd. Splatsj! Een kwak hutspot op Michiels bord. Spletsj, een kwak op Emma's bord. Flop, een beetje op Pelles bordje. En splak-splak, twee scheppen voor tante Corrie en haarzelf.
Tante Corrie snijdt een halve gehaktbal voor Pelle aan stukjes. Ze bindt hem zijn slabbetje voor en geeft hem zijn kleine vorkje.
'Lekker eten, vent,' zegt ze lief tegen hem.
'Bal!' roept Pelle. 'Bal! Pelle bal ete!'
Emma is al aan haar gehaktbal begonnen. Als ze eet, schreeuwt ze niet. Ze zegt pas weer wat als haar bord helemaal schoon is geschrapt.
Michiels moeder en tante Corrie zeggen ook niet veel.
Tante Corrie vraagt alleen: 'En Dries?'
Dries is Michiels vader.

‘Overwerken,’ zegt Michiels moeder met haar mond vol.
‘En Tom?’
Tom is Emma’s vader.
‘Vergaderen,’ zegt tante Corrie.
‘Arme sloebers,’ zegt Michiels moeder. Ze draait aanstellerig met haar ogen.
‘Zielig, hè,’ proest tante Corrie. ‘Nu moeten we helemaal alleen met de kinderen de stad in.’
Ze vinden het helemaal niet zielig. Ze schateren.
Emma heeft haar bord leeg. Ze zwaait ermee boven de tafel. ‘Mag ik nog een beetje?’ vraagt ze.
Pelle laat een stuk gehakt van zijn vorkje op de grond vallen. Michiels moeder duwt Emma’s bord weg en bukt zich om het op te rapen.
‘Bal! Bal!’ krijst Pelle.
‘Tante Heleen, mag ik nog?’ schreeuwt Emma.
Met een rood hoofd en haar haren in de war komt Michiels moeder onder de tafel vandaan.
‘Koppen dicht, anders gaan we helemaal niet naar de taptoe!’ buldert ze.
‘Haha! Dat doe je toch niet!’ roept Emma. ‘Want je vindt het zelf veel te leuk!’
Michiel vindt het tijd worden dat hij ook weer wat zegt.
‘Mag ik nog een gehaktbal?’ schreeuwt hij.

……

3. Op straat

Pelle zit al helemaal ingepakt klaar in zijn wandelwagentje. Hij heeft een wollen mutsje op en handschoentjes aan. Want als je stilzit, krijg je het koud, zegt mam altijd. Pelles knuffelkabouter heeft mam met een touwtje aan de wandelwagen vastgebonden. Die mag straks niet kwijtraken in de drukke stad.
Michiel heeft ruzie met de rits van zijn nieuwe winterjas. Er zit een stukje stof tussen de rits en hij krijgt het er niet tussenuit.
'Laat mij eens,' zegt Emma. Ze heeft haar eigen gele regenjas al aan. Voorzichtig trekt ze de rits los. 'Mooie nieuwe jas, zeg!' zegt ze.
Michiel krijgt een kleur van trots.
'Er zit ook een binnenzak in,' zegt hij.
'Het is een echte mannenjas,' zegt tante Corrie. 'Jij zult het vanavond in elk geval niet koud hebben. Nou jongens, hebben we alles? Hebben we iedereen? Drie kinderen? Chips en rozijntjes? De huissleutels?'
Michiels moeder wringt zich langs het wandelwagentje en doet de deur open. Lawaai, muziek en motregen waaien naar binnen.
'Lopen maar!' roept ze.
Emma en Michiel stappen de stoep op. Grote jongens en meisjes met gekke petjes op en trossen drui-

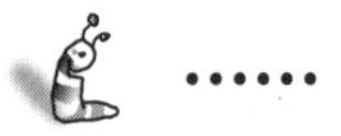

ven in plastic tassen lopen schreeuwend voorbij.
'O, nee toch, ze gaan weer druiven gooien!' zegt Michiels moeder bozig. Ze heeft daar een hekel aan.
'Ach, joh,' zegt tante Corrie. 'Dat hoort erbij.'
Michiel gaat vlak naast zijn moeder lopen. 'Als ze maar niet tegen mijn nieuwe jas gooien, hè mam?'
Zijn moeder aait hem over zijn haar.
Emma rent een stukje vooruit. Aan het eind van de straat, voor een café, staat het draaiorgel nog dat vanmiddag voorbijkwam. Gekleurde lampjes aan lange snoeren waaien heen en weer boven het terras van het café.
De orgelman rammelt met zijn geldbakje.
'Mam, mag ik wat geven?'
Michiels moeder staat stil en pakt haar portemonnee. Ze haalt er wat kleingeld uit en geeft dat aan Michiel.
'Aan alle straatmuzikanten iets geven,' zegt ze erbij.
Michiel rent naar de orgelman en laat een euro in het bakje vallen. De rest van het geld stopt hij veilig diep weg in zijn binnenzak.
'Dank je wel, knul,' zegt de orgelman. 'Ga je naar de taptoe?'
Michiel knikt. 'Ik zag u vanmiddag,' zegt hij. 'U kwam langs ons raam. Ik moest nog binnenblijven, want we gingen eerst nog hutspot eten.'
'Hutspot met speklappen?' De orgelman lacht.
'Bah, nee! Met gehaktballen!'
De orgelman lacht nog harder als hij ziet hoe vies Michiel kijkt.
'Je moeder staat te wachten,' zegt hij hoofdschud-

dend. 'Ga maar gauw. Veel plezier.'
'Dag!' zegt Michiel voor de tweede keer vandaag tegen hem. Hij rent terug naar zijn moeder en tante Corrie. Ze lopen de brug over, het centrum in. Uit alle straten komen mensen. Mensen met kinderen in warme jassen aan hun handen. Sommige kinderen hebben ballonnen, of balletjes aan een elastiekje. Die schieten vanzelf terug in je hand als je ze weggooit. Er zijn ook kinderen met Mickey Mouse-oren met lichtjes erin op hun hoofd.
'Mama, mogen wij ook iets kopen?' Emma danst om tante Corrie heen.
Tante Corrie vindt het goed.
'Als we iemand tegenkomen die zoiets verkoopt, mogen jullie ook iets.'
Michiel hoort hoefgetrappel. Hij draait zich om en stoot Emma aan.
'Kijk, politieagenten op paarden!'
Zijn moeder en tante Corrie trekken hem en Emma opzij. De politieagenten rijden voorbij. Witte vlokken schuim van de bekken van de paarden waaien op straat.
'Vies!' Emma rilt. En meteen erachteraan roept ze: 'Mama! Ik ruik suikerspinnen! Mogen we een suikerspin?'
'Nee! Hierheen, Emma, doorlopen!'
Tante Corrie trekt Emma mee aan haar mouw. Aan allebei de kanten van de straat staan al mensen te wachten. Sommige mensen hebben klapstoeltjes meegenomen. Andere zitten op de stoeprand.
Er hangen ook mensen uit de ramen van de wo-

ningen boven de winkels. Ze gooien lange repen krantenpapier naar beneden en gekleurde confetti. Bij een studentenhuis gooien ze zelfs bier. Dat bier vindt Michiel niet leuk. Maar het papier vindt hij niet erg. Een lange reep krantenpapier zweeft langzaam naar beneden en komt precies op zijn hoofd terecht. Roze en gele rondjes confetti plakken vast op het kinderwagentje en op Pelles mutsje.
'Kijk uit, daar! Daar gooien ze met druiven,' waarschuwt zijn moeder. Ze grijpt zijn arm beet en trekt hem opzij.
'Daar is een goed plekje!' roept tante Corrie. 'Hierheen, Heleen!' En ze duikt tussen de mensen door naar de kant.

4. Een goed plekje

Tante Corrie heeft het goed voor elkaar. Er is nog plaats op de stoeprand, zodat Michiel en Emma kunnen gaan zitten als ze moe worden. En Pelle kan alles goed zien vanuit zijn wagentje. Ze staan voor een lampenwinkel met een diep portiek. Als het echt hard gaat regenen, dan kunnen ze daarin schuilen.
Michiel en Emma springen de stoeprand op en af. Het duurt nog wel even voor de optocht komt; straks moeten ze nog lang genoeg stilstaan. Verlangend kijken ze in de verte of er al iets komt.
De straat is vol mensen, allemaal op zoek naar een plekje op de stoep. Er komt een hond voorbij met een stropdas om. Daar moet iedereen om lachen.
Er komt een mannetje in ouderwetse kleren voorbij met een draaiorgeltje voor zijn buik. Het draaiorgeltje speelt piepend en krakend een liedje. Op de schouder van het mannetje zit een speelgoedaapje.
Michiel vist een euro uit zijn binnenzak en geeft die aan Pelle.
'Doe maar in de pet, Pelle,' zegt hij.
Het mannetje bukt en Pelle laat zijn euro met grote, verbaasde ogen in de pet vallen.
Michiels moeder en tante Corrie lachen.
Het mannetje geeft Pelle een klopje op zijn mutsje en loopt weer verder.

lamperie
KER

Er rijdt een politieauto voorbij, heel langzaam, want overal op straat lopen mensen. Emma en Michiel kijken de auto na.
'Als je een politieagent bent, mag je niet naar de optocht kijken,' zegt Emma.
'Waarom niet?' vraagt Michiel.
'Dan moet je opletten of er niet ergens wordt gevochten of zo. En dat kun je niet zien als je naar de optocht kijkt. Dus daarom is kijken verboden voor politieagenten.'
'Jammer,' zegt Michiel. 'Ik zou wel even kijken, gewoon, even stiekem.'
'Nee hoor,' zegt Emma. 'Als je bij de politie zit, dan vind je niks aan optochten. Dan wíl je niet eens kijken.'
Verbaasd kijkt Michiel naar Emma. Die Emma kan soms zulke rare dingen zeggen. Ze denkt zeker dat zij alles weet en dat hij gek is.
Hij haalt zijn schouders op en begint maar over iets anders.
'Ik hoor al trommels!' zegt hij. 'Luister maar.'
'Ik ook!' zegt zijn moeder. 'Kom gauw op je plaats staan, jongens!'
Iedereen zoekt zijn plekje op. Opgewonden roezemoezen de mensen. Vijf politieagenten op paarden verschijnen naast elkaar in de verte in de straat. Ze dwingen de mensen de stoepen op, zodat de taptoe er straks langs kan. Michiel en Emma kijken aandachtig. Daarom zien ze de man die van alles verkoopt niet eens van de andere kant komen. Tante Corrie wenkt hem en zoekt naar haar portemonnee.

‘Twee balletjes graag,’ zegt ze als hij dichtbij is gekomen.
Emma en Michiel kijken om.
De man heeft van alles bij zich. Maskers en feestmutsen. Boerenpetjes en boerenzakdoeken. Lichtgevende slierten, feestneuzen, papieren toeters en kleine plastic trompetjes.
‘O mama, ik wil Mickey Mouse-oren! Mag ik Mickey Mouse-oren?’ schreeuwt Emma.
‘Ik wil deze!’ wijst Michiel gauw.
De man duwt hem een gestreept balletje in zijn hand. Emma krijgt er net zo een. De politie is al akelig dichtbij. Snel geeft tante Corrie de man geld. Net op tijd kan hij nog opzijspringen voor de paarden. Voor de optocht uit holt hij naar de volgende klant.

'Ik wou Mickey Mouse-oren!' schreeuwt Emma nog. 'Mama, ik wou helemaal geen balletje!' Ze kijkt teleurgesteld. 'Er zitten lichtjes in die oren, mama, lichtjes en ...'
'Zeur niet, zeurpiet,' zegt tante Corrie kortaf. 'Wees eens een keer tevreden.' Ze trekt Emma een stukje naar achteren.
Het eerste muziekkorps marcheert voorbij. Michiels moeder tilt Pelle, die angstig kijkt, uit zijn wagentje en neemt hem op haar arm.
'Boem, boemerdeboem boem!' zegt Michiel tegen Pelle. Pelle lacht alweer.
'Ik wil zo'n stom balletje helemaal niet,' moppert Emma zacht tegen Michiel. 'Ze luistert niet eens naar me. Waar slaat dat nou op? Eerst zegt ze dat ik iets mag uitzoeken en dan krijg ik zomaar iets dat ik niet hebben wil.'
Michiel hoort haar niet, want met een enorme klap slaat een dikke man twee grote deksels tegen elkaar. De trompettisten zetten hun trompetten aan hun mond en blazen uit alle macht. Dreunend klinkt de grote trom.
De politiepaarden hinniken. De mensen op de stoepen klappen. De studenten die uit de ramen boven de winkels hangen, fluiten en juichen. Een nieuwe wolk confetti warrelt naar beneden.
De taptoe is begonnen.

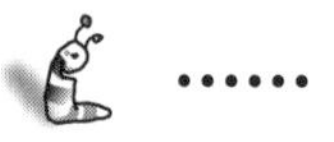

5. Een gat in de taptoe

De taptoe is heel lang. Hij duurt al een uur. Michiel en Emma hebben hun chips allang op. En Pelle heeft al geen rozijntjes meer.
Voetbalclubs lopen voorbij, en gymclubs. Grote meisjes en jongens met zaklantaarns en soms met fakkels. Kleine kinderen die een lied zingen en dapper doorstappen. Deftige mannen in een koets. Muziekkorpsen. Majorettes. Prins Carnaval en een hele groep verklede feestvierders. Ze lachen en duwen en schreeuwen naar de mensen langs de kant.
Padvinders trekken een roeiboot op wielen voort. In de roeiboot zitten de kleinste padvinders, verkleed als kabouters. De grote padvinders zingen een lied, en de slaperige kaboutertjes houden lampionnen vast.
Achter de padvinders komt een hele tijd niets.
Er zit een gat in de taptoe.
Er hóórt weer een muziekkorps te lopen. Maar dat is een eind terug blijven stilstaan. Iemand deelt daar bier uit. Er klinkt gejuich en gefluit, de muzikanten lopen door elkaar heen en drinken. Niemand staat nog netjes in de rij.
Emma en Michiel kunnen snel een paar keer even naar de overkant rennen en weer terug. Ze smijten hun balletjes tegen elkaars armen aan. Door het elastiekje springen de balletjes vanzelf weer terug in

hun hand. Andere kinderen zijn ook van de stoeprand afgekomen. Michiel en Emma jagen achter hen aan met hun balletjes. Ze gillen en lachen.
Plotseling schreeuwt er aan de overkant een grote jongen met een kale kop keihard naar het muziekkorps: ‘Doorlopen!’
Iedereen kijkt zijn kant uit. Michiels moeder ook. Achter de jongen met de kale kop staat iemand die ze kent.
‘Hé, Alex!’ schreeuwt ze.
Een lange man kijkt op. Hij heeft rood krulhaar en zijn gezicht zit vol sproeten. Eerst kijkt hij verbaasd, maar dan schiet hij in de lach.
‘Heleen! Corrie!’ roept hij terug.
Hij wringt zich tussen wat mensen door en holt de straat over. ‘Hoe gaat het met jullie, zeg!’ roept hij hoog boven Michiels hoofd.
Michiels moeder en tante Corrie lachen en praten door elkaar. Michiel verstaat niet alles. Maar hij begrijpt wel dat die Alex vroeger bij zijn moeder en tante Corrie op school zat. Hij kijkt naar Emma. Emma kijkt terug. Ze haalt haar schouders op en trekt een gek gezicht. Intussen lijkt het wel alsof het muziekkorps de jongen heeft horen roepen. Iedereen is weer netjes gaan staan. De trommels roffelen, en daar komen ze.
Alex moet opzij. Hij perst zich voor Michiels moeder en tante Corrie op de stoep. Prompt beginnen de mensen achteraan te mopperen.
‘Ik zie niks,’ roept een oude man boos.
‘Hé, opdonderen!’ schreeuwt een stem.

'Wilt u weer teruggaan naar de overkant!' kijft een mevrouw.
Michiels moeder en tante Corrie krijgen de slappe lach.
Alex zakt gauw door zijn lange benen. Hij gaat pardoes naast het wagentje waarin Pelle zit, op de stoeprand zitten.
'Ha, grote jongen,' zegt hij tegen Pelle.
Pelle staart hem zwijgend aan.
'Weet hij wie Bert en Ernie zijn?' vraagt Alex aan Michiel.
'Ja. Van Sesamstraat toch?' Michiel vindt het een rare vraag.
'Zou hij wel een Ernie-ballonnetje willen?' vraagt Alex. Hij knipoogt naar Pelle.
'Ja, hoor,' zegt Michiel.
'Waar heb jij dan een Ernie-ballon?' vraagt Emma.
'Aan de overkant,' zegt Alex. 'Mijn vrouw heeft er een gevonden. Hij hing in een boom. Daar staat ze, met die blauwe jas. Zien jullie haar?'
Er staat inderdaad een vrouw met een blauwe jas aan de overkant. Ze zwaait en lacht. Iets boven haar hoofd zweeft een ballonnetje aan een touwtje.
'Leuke vrouw, Alex,' plaagt tante Corrie.
'Leuke jas heeft ze aan,' grinnikt Michiels moeder.
'Dames, dames, niet zo jaloers!' Alex trekt een gek gezicht. Hij komt overeind en duikt midden in de taptoe. Hij komt terecht tussen schreeuwende studenten die roeispanen dragen.
'Hé!' roepen die. En: 'Grijp 'm, mannen!' Ze zwaaien gevaarlijk met de roeispanen. Maar Alex is al aan

de overkant.
Vol spanning kijken Emma en Michiel toe. Alex moet nog terugkomen met het ballonnetje voor Pelle! De studenten zijn alweer weg. Maar nu komt er een karateschool voorbij. Voorop lopen de leraren. Ze hebben zwarte banden om en zien er gevaarlijk uit.
'Hij kan maar beter wachten,' zegt Emma. 'Straks schoppen ze hem tegen zijn kop!'
'Welnee joh,' zegt Michiel. Maar zijn hart bonkt ongerust.
Gelukkig laat Alex de karategroep schoppend en meppend voorbijgaan. Dan rent hij zo vlug hij kan naar hen toe. Razendsnel knoopt hij het Ernie-ballonnetje vast aan Pelles wagentje, en weg is hij weer.
'Een echte held!' zucht tante Corrie grappig.
'Bedankt!' schreeuwt Michiels moeder hem achterna.

6. Net een droom

Pelle is blij met de Ernie-ballon.
'Bet! Bet!' roept hij.
'Nee, joh, dat is Bert niet. Dat is Ernie!' zegt Michiel. 'Ernie! Kijk maar!'
Hij pakt de ballon van achteren vast en verstopt zijn gezicht erachter. 'Dag Pelle,' zegt hij met een Ernie-stem. Hij beweegt de ballon net alsof Ernie praat. 'Ik kom ook naar de optocht kijken. Mijn vriend Bert wilde niet mee. Die ging liever naar bed. Hij houdt niet van optochten. Maar ik wel. Dan krijg ik snoep en mag ik lekker laat opblijven. Hihihihihi.'
Pelle krijst van plezier. Hij rukt aan het touwtje. Wild gaat de ballon op en neer.
Michiels moeder staat op haar tenen en probeert in de verte te kijken. Ze zegt tegen tante Corrie: 'Ik denk dat dit bijna het einde van de optocht is. Die voetballertjes nog, en dan is dat daarna volgens mij het laatste muziekkorps al.'
'Gaan we dan naar de kermis, mam?'
Michiel vergeet Pelle en zijn ballonnetje. Opgewonden springt hij op en neer.
'Kermis! Kermis!' juicht Emma.
'Nog een klein stukje taptoe, jongens, en dan gaan we,' zegt Michiels moeder. 'Goed bij ons blijven, hoor. Michiel, jij houdt het wagentje vast. En

Emma, je moet je moeder straks een hand geven.'
'Ja mam,' belooft Michiel. Hij steekt zijn balletje diep weg in zijn jaszak en pakt het wagentje alvast beet.
'Goed, tante Heleen,' zegt Emma.
Ze weten hoe druk het is als iedereen de kant van de kermis op gaat lopen. Zo druk dat je bijna wordt platgedrukt. Zo druk dat je soms denkt dat je zult stikken tussen al die winterjassen.
Het laatste muziekkorps loopt voorbij. Michiel heeft nu zo'n zin om naar de kermis te gaan, dat hij bijna niet langer kan wachten. Hij wil die heks en die spookhuizen zien waar Emma hem over vertelde. Hij wil het reuzenrad zien. Hij wil touwtjetrekken en oliebollen eten. Hij wil ...
Ineens ziet hij, heel langzaam, het lachende gezicht van Ernie voorbijzweven. Het lijkt net een droom. Michiel staart. Een paar tellen lang hangt het brede gezicht daar stil boven het muziekkorps. Dan krijgt de wind de ballon te pakken. Met een rukje gaat hij omhoog.
Michiel graait naar het touwtje dat aan de ballon vastzit.
Mis.
Pelles stemmetje roept: 'Bet! Bet!'
Michiel laat het wagentje los en springt achter de ballon aan.
Ze sleuren hem mee. De trommelaars, de trompetters en de fluitisten, stamp, stamp, stamp, in de maat.
Ze gaan geen stap opzij.

......

De Ernie-ballon zweeft weg de donkere lucht in.
'Mam!' schreeuwt Michiel. 'MAM! MAMA!'
Hij denkt dat hij zijn moeders stem hoort. Hij gelooft dat ze zijn naam schreeuwt. Hij struikelt.
De optocht is afgelopen. Lachende, pratende, duwende mensen stappen achter het muziekkorps de straat op.
Waar hij ook kijkt, hij ziet alleen nog jassen.

7. De andere kant op

Hij moet de andere kant op!

Zijn moeder is de andere kant op!

Schreeuwend begint hij om zich heen te slaan.

'Mam! MAMA!'

Ellebogen bonken tegen zijn hoofd. Niemand hoort hem. Er zijn zoveel mensen, er is zoveel herrie. Overal wordt geschreeuwd en gelachen. Trommels roffelen, trompetten tetteren, en uit de cafés komt luide muziek.

Michiel heeft een afspraak met zijn moeder gemaakt. Hij heeft haar moeten beloven dat hij altijd blijft waar ze elkaar het laatst hebben gezien. Dat is voor het geval ze elkaar soms kwijtraken in een winkel of op de markt.

Michiel probeert stil te blijven staan.

Nu wordt hij gewoon achteruitgeduwd.

Hij stoot tegen een paaltje en valt op zijn rug. Iemand trapt op zijn hand. Zijn hoofd bonkt tegen het paaltje. En zodra hij overeind gekrabbeld is, wordt hij verder meegevoerd.

Hij wordt misselijk van angst.

Misselijk van al die feestluchtjes waar hij anders altijd zo blij van wordt. Hij ruikt hutspot, worst en suikerspinnen, oliebollen en hamburgers, bier en kaneelstokken. Hij moet er bijna van overgeven. Om het tegen te houden, begint hij te hoesten.

Hij kan niet meer schreeuwen.
Binnen in zijn hoofd schreeuwt zijn stem wel.
'Mam!' schreeuwt zijn stem vanbinnen. 'Tante Corrie! Emma!' En ook: 'Papa!' Ook al is zijn vader nog op zijn werk.
Hoestend struikelt hij verder.
Hij probeert een mevrouw aan haar mouw te trekken.
'Help me,' wil hij roepen. 'Ik wil stilstaan.' Maar er komt geen geluid uit zijn mond. Alleen nog meer gehoest. En de vrouw voelt niet eens dat hij aan haar mouw trekt.
Plotseling klinken alle voetstappen anders. Houterig en hol. Ze lopen over een brug. Kermislawaai komt steeds dichterbij. Na de brug komt er een beetje ruimte tussen de mensen om hem heen.
Hij duikt naar voren en wurmt zich vechtend tussen de mensen uit. Hijgend staat hij stil met zijn rug tegen een huis.
Waar is hij?
Rechts ziet hij ineens het reuzenrad. De bananenboot. De achtbaan in de verte.
Er komt nog iets tussen de mensen vandaan gekropen. Het is een magere herdershond. Bibberend komt hij naast Michiel staan met zijn staart tussen zijn benen. Eén pootje tilt hij op, alsof hij pijn heeft.
Michiel zakt door zijn knieën, slaat zijn armen om de hond heen en duwt zijn gezicht tegen zijn vacht. De hond is nat en stinkt, maar hij blijft stilstaan en jankt zacht.

Zijn moeder zegt altijd: ‘Nooit vreemde honden aaien. Je weet nooit of ze bijten.’
Stiekem huilt hij op de rug van de hond. Met zijn hand krabbelt hij hem zachtjes achter zijn oor, zodat hij zal blijven staan. De hond geeft hem zelfs een lik over zijn wang.
Die lik troost Michiel een beetje. Hij kalmeert. Hij veegt zijn wangen af en haalt diep adem. Het is nog steeds druk, maar de mensen duwen en dringen niet meer. Ze wandelen nu rustig voorbij.
Toch blijft hij zitten waar hij zit. Waar zou hij heen moeten? Hij houdt de hond nog steeds vast.
‘Stil maar, hondje,’ zegt hij. ‘Kom maar.’
Deze hond bijt niet. Michiel weet het zeker. Dit is een lieve hond. Dat moet gewoon. Deze hond moet zijn vriend zijn, want anders is hij helemaal alleen in het donker.

……

8. Strenge dingen denken

Je moet niet bang zijn, denkt hij streng tegen zichzelf. Diep ademhalen. Niet huilen! Niet bang zijn! Het helpt om strenge dingen bij jezelf te denken.
Michiel gaat rechtop zitten. Hij zucht. Hij vergeet dat hij een nieuwe jas aanheeft en veegt zijn neus af aan zijn mouw. 'Zo!' zegt hij hardop.
Nog een zucht.
Een paar jongens en meisjes lopen voorbij met zakken vol druiven. Ze smijten naar elkaar en naar voorbijgangers. Gillend en schreeuwend duiken ze achter elkaar weg. Ze botsen tegen de mensen om hen heen op. Er wordt gemopperd en gescholden.
Een van de jongens ziet Michiel zitten. Keihard gooit hij een druif.
Net op tijd duikt Michiel weg.
De druif raakt de hond. Die jankt hard, meer van schrik dan van de pijn.
Michiel heeft er genoeg van. Hij springt overeind.
'Rot op, gek!' schreeuwt hij tegen de jongen.
De jongen doet dreigend een stap naar hem toe.
'Wat moet je, wurm!'
'Kijk naar jezelf, stomme … stomme koe!' briest Michiel.
De andere jongens en meisjes stoppen met druiven gooien. Ze beginnen hard te lachen.
'Boeoeoe!' schreeuwen ze. 'Stomme koe! Boeoeh!'

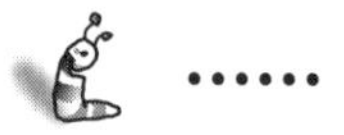

Ze duwen en stompen de jongen die de druif naar Michiel gooide. De jongen is eigenlijk kwaad, maar hij besluit om maar mee te lachen. Hij laat zich naar de kermis duwen en kijkt niet meer om naar Michiel.
Gelukkig maar.
Michiel trilt. Van woede, van schrik en van alles wat hij heeft meegemaakt.
Hij draait zich om om de hond te aaien, maar die is weg. Weggeslopen toen hij niet oplette. Die arme hond.
Het begint harder te regenen. Michiel gaat met zijn rug weer dicht tegen de muur onder de dakgoot staan. Hij kijkt rond. Een eindje verderop is een café. Er walmt rook naar buiten, de ramen staan open en binnen hoor je zingen en praten. Een groot stuk plastic is over de stoep gespannen, zodat daar ook mensen onder kunnen staan.
De regen waait nu ook onder de dakgoot. Michiel wordt er drijfnat. Langzaam loopt hij naar het café. Hij gluurt om de hoek de gang in. Hij ziet er drie deuren. Die eerste twee zijn de wc's, dat ruikt hij zo wel. Op de achterste deur is een sticker geplakt. Privé, staat daarop.
Midden in de gang staan vaten bier met daartegenaan twee gammele fietsen. Over de fietsen heen hangt een oud gordijn vol verfvlekken. Michiel schiet naar binnen. Razendsnel laat hij zich in het hoekje naast de biervaten zakken. Het gordijn trekt hij over zich heen.

......

Langzaam maar zeker wordt de plas voor de deur van het café dieper. Michiels jas droogt op. Zijn hart klopt niet meer zo bonkend. Van onder het gordijn gluurt hij door de deuropening de straat op. Damesschoenen stappen voorzichtig over de plas. Kinderlaarsjes schoppen er gewoon doorheen. En mannenschoenen en gympen soms ook. En als er niemand voorbijkomt, maken de regendruppels cirkeltjes in de plas.
Plotseling schrikt hij op als er twee vrouwen de gang in komen. Ze praten luid en krijgen de slappe lach voor de wc-deur. Met veel gestommel verdwijnen ze in de wc. Ze kijken niet eens de gang in.
Michiel voelt zich vreemd, alsof hij, heel even maar, heeft geslapen. Maar nu voelt hij zich klaarwakker, weer warm en ook uitgerust. Hij moet iets doen. Hij moet zijn moeder en tante Corrie gaan zoeken. Of een politieagent zoeken en zeggen dat hij zijn moeder kwijt is. Of zoiets ...
Als de vrouwen weg zijn gegaan, kruipt hij onder het gordijn vandaan. Hij sluipt naar de deuropening. Achter hem gaat de deur van het café open. Een dikke man kijkt hem onderzoekend aan.
'Wat moet jij hier, jochie?'
'Ik ... ik schuil voor de regen.'
De man komt de gang in. Hij kijkt naar buiten, omhoog naar de donkere lucht.
'Wat een rotweer,' zegt hij, meer tegen zichzelf dan tegen Michiel. Even zwijgt hij. Dan zegt hij: 'Het is niet dat je hier niet even mag staan, maar je kunt beter ergens anders gaan schuilen. Op de kermis of

zo. Onder een luifel. Dat is geschikter dan hier. Je moeder vindt dat vast ook.'
'Ik ben m'n moeder kwijt,' wil Michiel zeggen. Maar hij krijgt de kans niet. De man is alweer weg voordat hij zijn mond kan opendoen. Dus stapt hij maar naar buiten en loopt hij gehoorzaam naar de kermis.
Misschien zijn tante Corrie en zijn moeder daar wel heen gegaan. Dat waren ze immers van plan ...
Nu Michiel daaraan denkt, gaan zijn benen vanzelf rennen. Natuurlijk is zijn moeder naar de kermis gegaan om hem te zoeken. Natuurlijk! Want daar zouden ze toch ook heen gaan! Hij glibbert over platgetrapte druiven. Hij duwt en dringt langs groepjes mensen heen die in de weg staan.
Blijf staan waar je bent, mam! Blijf staan, Emma en tante Corrie. Ik kom eraan!

9. Die rotballon!

Emma staat in de portiek van de lampenwinkel. Haar ogen staan wijd open van schrik. Ze tuurt in het donker. Haar handen houdt ze stijf om de handvaten van Pelles wagentje geklemd. Haar knokkels zien er wit van. Pelle zit stil. Zijn hoofdje is opzijgezakt tegen zijn knuffelkabouter aan en zijn mondje hangt open. Hij slaapt.
Hij huilde niet eens omdat zijn ballon weg was. Die rotballon! Die stomme Erniekop met die stomme grijns erop! Waarom moest die Alex dat ballonnetje aan Pelle geven? Hij had hem goed vast moeten binden aan het wagentje! Stomme, stomme Alex. En Michiel had op de stoep moeten blijven! Dan maar geen ballonnetje ... Die stomme muzikanten liepen bijna over hem heen! Ze konden toch wel uitkijken? Michiel is nog maar een jongetje. Ze hoefden heus niet zo kwaad te zijn omdat hij erdoorheen liep. Hij deed het toch niet expres! Ze konden toch wel zien dat hij alleen maar die ballon wilde pakken! Waarom liepen ze gewoon door? Waarom? Waarom!
Emma's ogen branden.
'Mama,' fluistert ze tegen het donker.
Het is rustig geworden in de straat. Repen krantenpapier en confetti plakken vast aan de stoeptegels. Zo nu en dan schopt er iemand een leeg colablikje

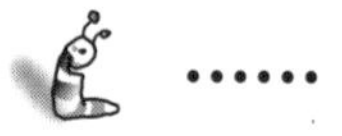

gesloten

voor zich uit. Dat maakt een vreselijk kabaal. Dan doet Pelle even zijn mondje dicht. Zijn handjes schieten een stukje omhoog en vallen weer terug op het slaapzakje. Hij is zo moe dat hij gewoon verder slaapt.

Michiels moeder komt de portiek binnen. 'Tante Heleen!' Emma zucht diep van opluchting. En daar is haar eigen moeder gelukkig ook weer. 'Goed gewacht, lieverd,' zegt Michiels moeder tegen haar. Haar haren zijn kletsnat en plakken aan haar gezicht vast. Regendruppels kleven vast in haar wimpers.

'Hij slaapt overal doorheen,' zegt Emma over Pelle.

Michiels moeder pakt het wagentje vast en kijkt naar Pelle. Ineens begint ze te huilen. Hard en hevig. Haar schouders schokken ervan.

Haar zus slaat troostend haar armen om haar heen. 'We vinden hem wel, joh, hij komt heus wel terecht. We gaan meteen weer zoeken en als we hem niet gauw vinden, dan ... gaan we naar de politie. We ... Hij komt heus wel terecht.'

'Ja, tante Heleen. We vinden hem wel,' zegt Emma. Haar stem klinkt zo zacht. Helemaal niet schreeuwerig meer. Zacht en schor.

Tante Heleen bedaart. Ze haalt haar neus op. Ze veegt haar wangen af en kijkt naar haar zus.

'Waar moeten we nu zoeken? We kunnen hier niet langer op hem blijven wachten. Ik geloof niet dat hij hierheen terugkomt!'

Haar stem klinkt wanhopig.

'We zouden naar de kermis gaan,' zegt Emma.

‘Toe, lieve kind ... Nu toch niet! We moeten Michiel toch zoeken. Hè toe, Emma ... Je bent oud genoeg om te begrijpen dat dit geen goed moment is om naar de kermis te gaan.’ Verontwaardigd praten Michiels en Emma’s moeder door elkaar.
‘Ja, nee ... Maar ik bedoel ... Wij zeiden tegen Michiel dat we naar de kermis zouden gaan, en hij werd die kant op meegetrokken! Misschien wacht hij daar wel op ons!’
De twee zussen kijken naar elkaar. En dan naar Emma.
‘Ze heeft gelijk!’ zeggen ze tegen elkaar. En tegen Emma zeggen ze: ‘Goed nagedacht, schat!’
Nu weten ze in elk geval weer wat ze moeten doen. Ze dekken Pelles wagentje af met het plastic regententje. Emma moet haar capuchon opzetten.
‘Kom,’ wenkt Michiels moeder. Ze gaat met Pelle voorop de portiek uit, de stoep op. De regen tikt op het plastic tentje en op Emma’s capuchon. Ze lopen snel en zwijgend, met gebogen hoofden. De banden van het wagentje maken een ruisend geluid op de natte straat.

10. Op de kermis

De grote heks lacht gillend. Rond vliegt ze op haar bezem over het spookhuis. Rond en rond. Op haar neus zit een dikke wrat en op haar schouder een zwarte kraai. Als ze lacht, gloeien haar ogen en de kraaienogen als groene lampjes.
Een klein jongetje verbergt zijn gezicht angstig tegen de schouder van zijn vader.

Met open mond kijkt Michiel van die verschrikkelijke heks naar het jongetje. Dit is de engste heks die hij ooit gezien heeft. Hij gelooft niet dat hij dit spookhuis in durft, zelfs niet met mam.
Hij kijkt weer naar het jongetje. Hij wou dat hij zo bij zijn vader op zijn arm zat. En dat pap hem dan zou plagen dat hij niet in het spookhuis durfde. Samen met zijn vader zou hij het wel durven. Écht wel!
Hij draait het spookhuis en de heks zijn rug toe en loopt weg. Een poosje kijkt hij bij het touwtjetrekken. Naast de touwtjetrektent staat een draaimolen voor kleine kinderen. Hij zit overvol. Vroeger, toen Michiel klein was, mocht hij ook altijd van zijn moeder in zo'n draaimolen. Dan wilde hij per se in de brandweerauto. Die vond hij toen het mooist. Nu zitten er wel vier kinderen in de brandweerauto. Ze sturen ijverig; één kwijlt ervan. Hun vaders en moeders staan langs de kant en zwaaien trots elke keer als ze langskomen.
Er zijn zoveel gekleurde lichtjes op de kermis. De muziek is er zo hard. Er zijn zoveel mensen en kleine kinderen. Alleen als je naar boven kijkt, naar de lucht, kun je zien dat het eigenlijk stikdonker is. Dat het avond is en allang kinderbedtijd.
Ergens daar in het donker moet zijn moeder lopen met Pelle, en tante Corrie en Emma. Ergens in de regen lopen ze naar hem te zoeken.
Michiel loopt langs de poffertjestent. De bakker staat met een hoge witte muts op bij de ingang. Pijlsnel draait hij met een klein vorkje het ene

poffertje na het andere om op zijn grote bakplaat. Anders kijkt Michiel daar graag naar, maar nu heeft hij er geen zin in. Hij loopt voorbij naar de draaimolen. Die draait met flitsende lichten en bonkende muziek keihard in de rondte. Er wordt gegild van angst en plezier. Achter de kassa staat een lange rij opgewonden mensen die er ook in willen. Achter de draaimolen hangt de bananenboot hoog in de bewolkte lucht op zijn kop. Jongens en meisjes houden de kooi vast waarin ze zitten en schreeuwen als biggen.

Michiel kijkt tot hij er duizelig van wordt. De bananenboot en de achtbaan zijn vast het hoogst, denkt hij.

Nee! Natuurlijk niet. Het reuzenrad is hoger!

Hij draait zich om. Het reuzenrad staat aan de rand van de kermis, achter hem. Om tot bovenaan te kunnen kijken, moet hij zijn hoofd in zijn nek leggen. De gekleurde lichtjes langs de geweldige spaken gaan aan en uit. Boven elk schuitje van het reuzenrad zit een metalen parasol, zodat je er ook in kunt als het regent. Het rad draait elke keer een klein stukje. Soms blijf je heel lang boven hangen als er beneden mensen aan het uit- en instappen zijn. Dan kun je maar beter je warme jas aanhebben. Want helemaal boven in het rad kan het behoorlijk koud zijn. De wind rukt daar aan je kleren en de kermisgeluiden zijn ver weg, beneden. Als je in het reuzenrad zit, kun je verder kijken dan de kermis. Je kunt de kerken van de stad zien, de grachten en de oude huizen. Je kunt zien waar de kermis ophoudt en waar de straten weer rustig zijn. Je kunt het station zien met de treinen, de fabrieken langs de brede weg. En de mensen beneden bij de lichtjes zijn zo klein, zo klein ...

11. Ouwe speurneus

Eindelijk is het droog. Je kunt zelfs een paar sterren in de lucht zien. Emma trekt haar capuchon af. Tante Heleen vouwt het natte plastic tentje van de kinderwagen op.
Ze staan stil op de brug vlak bij de kermis. Ze kunnen het kermislawaai al horen. Emma ruikt allerlei lekker eten, maar daar durft ze niet om te vragen. Ze zeggen dan natuurlijk: wie denkt er nou aan eten als Michiel zoek is? Ze zucht.
Haar moeder wiebelt van haar ene been op haar andere. Ze wrijft haar koude, natte handen onrustig tegen elkaar. 'Heleen,' zegt ze. 'Ik moet plassen. Ik moet vreselijk nodig. Ik kan het niet meer ophouden. Ik moest al toen we nog naar de taptoe stonden te kijken. Daar is een café, daar kan ik vast wel even terecht. Als ik ben geweest, kan ik beter zoeken. Nu kan ik nog maar aan één ding denken.'
'Ja, ja,' mompelt tante Heleen. Ze is er met haar hoofd niet bij. In haar gedachten ziet ze natuurlijk allemaal verschrikkelijke dingen die er met Michiel kunnen gebeuren. Een jongetje helemaal alleen en in het donker kan wel door iemand meegelokt worden. Of in een auto worden getrokken. Of worden meegenomen door een groep inbrekers om door de kleinste raampjes te klimmen. Daar worden weleens kinderen voor gebruikt. Emma heeft dat weleens

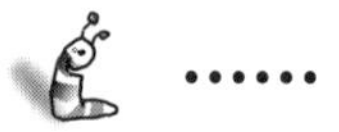

gelezen in een boek.

Ze lopen naar het café. Tante Heleen en Emma wachten buiten onder een zeil dat over de stoep gespannen is. Het is druk in het café. Als er nog mensen bij komen die iets willen drinken, dan zullen die dat buiten moeten doen. Een magere herdershond snuffelt in de goot aan een stukje worst. Als Emma probeert om hem te aaien, duikt hij onder haar hand door en loopt hij weg.

Ze gluurt de gang in. Haar moeder is de dames-wc binnengegaan. Het stinkt naar pies in de gang. Pies en bier. Emma wil net een teug frisse lucht van buiten gaan nemen als ze iets ziet liggen in de gang. Het ligt half achter een biervat. Het is rond en ze heeft het al eerder gezien.

Ze draait zich terug.

'Hé, tante Heleen ...' zegt ze. Ze stapt over de drempel en loopt de gang in. Halverwege, waar het donker is, bukt ze zich.

Michiels moeder hoort de vreemde klank in Emma's stem. Ze laat het wagentje los en loopt haar achterna de gang in. Emma staat gebukt bij een paar opgestapelde biervaten. Er staan twee oude fietsen tegenaan waarover een gordijn hangt.

'Wat is er, Emma? Kom daar eens vandaan!' fluistert Michiels moeder.

Emma komt overeind. Ze houdt iets omhoog. Langzaam loopt ze naar haar tante, naar het licht.

De wc wordt doorgetrokken. Emma's moeder doet de deur open. De deur bonkt tegen haar zus aan. Die merkt het niet eens.

'Wat heb je daar, Emma?'
Ze strekt haar hand uit.
Emma legt er een balletje in. Een balletje aan een elastiekje. Net zo'n balletje als dat van Michiel. Maar de verkoper had er daar wel honderd van. En weer andere verkopers ook. Deze avond moesten er wel een paar honderd kinderen in Leiden zijn met zo'n balletje.
Emma's moeder doet de wc-deur dicht.
'Het zou wel toevallig zijn als dit van Miehiel was,' zegt ze aarzelend. Ze kijkt naar buiten. Het wagentje van Pelle staat nog veilig onder het zeil.
'Maar je weet maar nooit ...' fluistert Michiels moeder peinzend. Ze staart naar het balletje alsof dat haar iets zou kunnen vertellen. Dan beweegt ze haar hoofd met een ruk. 'Ik zal eens vragen of iemand hem hier misschien heeft gezien!'

Ze gooit de glazen deur naar binnen wijd open en stapt over de drempel. Sigarettenrook walmt de gang in. Emma wil haar achternastappen. Ze wil wel eens een café vanbinnen zien. Maar haar moeder houdt haar tegen. 'We wachten hier; we kunnen Pelle niet alleen laten,' zegt ze.

Dat is waar. Pelle is er ook nog. Stel je voor dat die ook nog kwijt zou raken. Dan zouden ze zich helemaal geen raad meer weten.

De glazen deur gaat weer open. Michiels moeder komt de gang in, samen met een dikke man.

'Hij stond hier!' zegt de dikke man. Met zijn hoofd knikt hij naar de drempel. 'Een joch in een groene jas met een capuchon, klopt dat?'

'Ja, ja, dat is hem!' zeggen ze alle drie tegelijk.

De dikke man knikt. 'Ik zeg tegen hem, ik zeg: wat doe je hier? Hij zegt: ik sta hier te schuilen, meneer. Ik zeg: ga dat maar op de kermis doen. Je moeder heeft vast liever niet dat je hier bent. Want ik dacht: een kind hoort niet in een café. Een heel gewoon joch. Eh, bruin haar, dacht ik. Maar 't was nat, dus het kon ook donkerblond zijn.'

'Bruin,' knikt Michiels moeder. 'Hebt u gezien waar hij heen ging? Welke kant op?'

De dikke man schudt spijtig zijn hoofd. 'Ik ging weer naar binnen. Maar ik denk dat hij naar de kermis is gegaan. Omdat ik hem daarheen heb gestuurd. Het spijt me; als ik had geweten dat hij verdwaald was, had ik hem wel binnengehaald, en de politie gebeld. Dan had hij hier tenminste droog en veilig bij mij achter de bar kunnen wachten.

WC

Maar misschien vindt u hem op de kermis. Hij is hier, eens even kijken, eh, ongeveer een kwartier geleden weggegaan, dus ...'
Michiels moeder krijgt plotseling weer haast.
'Dank u wel,' zegt ze. Ze stapt al naar buiten en pakt Pelles wagentje.
'Naar de kermis, hè, tante Heleen?' zegt Emma.
'Op naar de kermis!' beveelt Michiels moeder. Ze kijkt nu vastberaden. Niet meer wanhopig, zoals daarnet. Ze begint te lopen, zo snel ze kan. Emma pakt het wagentje vast en holt naast haar. Aan het begin van de kermis blijft Michiels moeder staan. Ze wacht tot haar zus hen heeft ingehaald. Als die naast hen staat, commandeert ze: 'Goed kijken! Ogen wijd open! Oren wijd open! Wie weet staat hij wel ergens achter ons of naast ons.'
Ze kijkt naar Emma en geeft plagend een rukje aan haar capuchon. 'Jij ook goed opletten, ouwe speurneus!'
Ze glimlacht. Een scheef, beetje verdrietig glimlachje. 'Goed van jou, hoor, dat jij dat balletje zag liggen.'
Emma gloeit van trots. Ze kijkt al rond. Misschien ziet ze Michiel wel. Dan is tante Heleen helemaal blij! Dan kunnen ze eerst zoenen en huilen en zo, en dan eindelijk eens iets eten en in het spookhuis!

12. In het reuzenrad

Michiel zoekt koortsachtig in de zakken van zijn jas. Hij had toch geld gekregen van mam! Maar nu is het er niet meer! Hij begrijpt er niks van. En het gekke is: hij hoort wel muntjes rammelen! Hoe kan dat nou? Plotseling herinnert hij zich zijn binnenzak. Daar zit zijn geld in!
Zes vijftig, zeven vijftig, zeven vijfenzeventig! Dat moet genoeg zijn! Hij begint te rennen. Bij de kassa moet hij op zijn beurt wachten. Ongeduldig trappelt hij met zijn voeten op het metalen trapje.
'Eenmaal?' vraagt de vrouw achter het glas.
'Wat zegt u?' vraagt Michiel. Hij kan haar niet verstaan. Het is zo'n lawaai overal.
'Eenmaal?' zegt de vrouw duidelijk met haar lippen.
'Ja.' Hij knikt. Ze schuift hem een plastic penning toe in ruil voor zijn geld. Hij stapt opzij naar het hekje toe. Hij moet nog wachten. Het rad draait. Een grote jongen die bij de kermis hoort, geeft zo nu en dan een ruk aan een van de schuitjes. Dat draait dan keihard in het rond. En ze gaan ook nog eens de lucht in. Michiel kijkt en wacht ongeduldig. De grote jongen draait niet aan elk schuitje. Als er oudere mensen komen, laat hij het schuitje voorbijgaan. Ook als er vaders en moeders met jonge kinderen in zitten. Maar als er grote jongens en meisjes in zitten, dan geeft hij er zo hard moge-

lijk een ruk aan. Dan gillen de meisjes, en schreeuwen de jongens. Een schuitje vol meisjes vindt hij het leukst, dat ziet Michiel wel. Dat zou hij zelf ook het leukst vinden als hij op de kermis werkte. Want die meisjes gillen zo hard.

Eindelijk is de tijd om. Er klinkt een toeter. Dat is het teken dat er uit- en ingestapt moet gaan worden. De jongen helpt nu de mensen, schuitje voor schuitje, uitstappen. En andere mensen stappen weer in. Michiel dringt zich naar voren.

'Bij wie hoor jij?' vraagt de jongen, als hij Michiels penning aanpakt.

Michiel schrikt. Misschien mag hij niet alleen in het rad. Misschien moet je een groot mens bij je hebben. Hij wijst naar de eerste de beste. Een groep grote jongens.

'Bij m'n broer,' liegt hij.

Hij voelt dat hij een kleur krijgt. Gelukkig kan het de jongen verder niets schelen bij wie hij hoort. Hij laat hem bij de grote jongens in een schuitje klimmen. Het hekje sluit hij achter Michiel af.

De jongens trekken aan de paal in het midden van het schuitje, zodat dat al in het rond gaat. Het zijn geen onaardige jongens. Ze kijken even naar Michiel. 'Hou je goed vast, hoor,' zegt er een tegen hem. Michiel knikt. Het rad begint te draaien.

De geluiden nemen af. De kermis verdwijnt naar beneden. De wind krijgt het schuitje te pakken en blaast, koud en gemeen. De jongens worden stil. Ze kijken uit over de stad daar beneden.

'Zo zeg!' zegt er een onder de indruk.

'Pffieiew!' blaast een ander. Hij kijkt benauwd. Groot en duister werpen de kerken hun schaduwen in de smalle straatjes van de binnenstad. Lantaarnlicht weerspiegelt in het donkere water van de grachten. Gebonk en gedreun van de muziek beneden waait over de boomtoppen door de spaken van het rad. Michiel klemt het koude ijzer van het hekje in zijn handen. Hij rekt zich uit zo ver hij kan. Daar is de bananenboot. Daar het station. Achter hem de straat waar ze naar de optocht hebben gekeken.

Wat had mam ook weer aan? Haar winterjas of haar rode regenjas? Emma haar gele regenjas! Geel is een goede kleur. Die kan hij misschien wel zien in het donker.

Hij buigt zich over het hekje en staart tot zijn ogen ervan tranen. Mensen, mensen, overal mensen. En overal kinderwagentjes.
Zouden ze eigenlijk wel naar de kermis zijn gekomen?

13. Een speld in een hooiberg

'Het is net zoeken naar een speld in een hooiberg,' zucht Emma's moeder. Ze schudt haar hoofd.
Emma denkt daarover na. Een speld in een hooiberg, herhaalt ze in gedachten. Dat heeft ze nog nooit eerder gehoord. Maar ze kan het zich wel voorstellen. Je hebt die nacht in de hooiberg geslapen en je knoop is eraf gegaan. Dus je wilt je jas met een speld sluiten, en, hopla! Je laat je speld vallen. Mooi stom. Want in een hooiberg vind je je speld natuurlijk nooit meer terug. Die kan wel helemaal naar beneden zakken tussen al die hooisprieten door!
Emma dagdroomt. Ze loopt op de kermis, maar ze ziet een hooiberg. Een hooiberg, een boerderij en een weiland vol koeien. En een losse knoop ook nog ...
Ze botst tegen iemand op.
Ineens is ze terug op de kermis. Lawaai, etenslucht, drukte overal, geschreeuw en getoeter. Pelle is wakker geworden. Met grote ogen kijkt hij naar alle drukte.
'Hallo, Pelle!' zegt Emma tegen hem. 'Michiel is weg! Echt waar! Helemaal weg!'
Gelukkig begrijpt Pelle er niets van.
'Niet kletsen, maar zoeken!' zegt Michiels moeder streng.

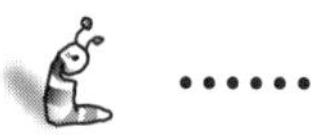

Eerst geeft Emma Pelle een paar zoentjes. Op zijn neusje, dat nat en rood is. En op zijn koude wangen. Pelle weet niet eens dat Michiel kwijt is. En Michiel ging nog wel zijn ballon redden! Later, als Pelle groter is, kan tante Heleen het hele verhaal aan hem vertellen. Van toen Michiel een keer kwijtraakte bij de taptoe en hoe ze hem ging zoeken. En dat zijn slimme nichtje Emma toen zijn balletje vond in een vieze stink-pies-gang van een café. En dan zit Michiel rustig te glimlachen aan de keukentafel als tante Heleen dat aan Pelle vertelt. Die is dan al twaalf of al veertien of zo.
Als ze hem tenminste terugvinden.
Emma kijkt weer om zich heen. Een stukje verderop staat het spookhuis met de heks. De heks vliegt rond en lacht haar gemene lach. Hèhèhèhèhè! Uit een kist komt een geraamte omhoog. Groen licht komt door de deurtjes naar buiten. Boven bij het spookhuis is een balkon. Eerst moet je beneden in een karretje gaan zitten. Dan ga je naar binnen. Dan schrik je je naar van allemaal enge dingen. En dan kom je met je witte, geschrokken gezicht het balkon op rijden. Dan kun je even bijkomen. Even zwaaien naar je vader en moeder of je broer of zusje daar beneden. En hup, daar ga je weer het donker in waar allerlei griezeligs op je wacht.
Emma kijkt naar de kinderen die in hun wagentjes het balkon op komen. Sommigen houden hun vader of moeder stijf vast. Soms schreeuwen ze nog van schrik over iets wat ze binnen hebben gezien. Toch moeten de meesten wel lachen. Angstig

lachen. Net zoals de kinderen en de grote mensen in de engste draaimolens. Die lachen ook, maar ze zijn toch bang.
Emma zou best in het spookhuis willen. Ze durft dat wel, hoor. Samen met haar moeder. En ze durft ook wel in de bananenboot op haar kop te hangen. Als je in de bananenboot gaat, dan moet je eerst je portemonnee aan iemand beneden geven, die hem voor je vasthoudt. Anders valt hij uit je zak als je op je kop hangt. Dan ben je mooi je portemonnee kwijt. Al je opgespaarde kermisgeld weg! Sommige mensen weten niet dat je uit moet kijken voor je spullen. Maar het is toch logisch dat alles naar beneden valt als je op je kop hangt? Er was een meisje bij Emma in de klas, die zei dat er een keer een man in die bananenboot zat. Een kale man. Tenminste, eerst niet. Toen had hij een toupetje op, een pruikje voor mannen. Maar toen hij op zijn kop hing, viel zijn toupetje naar beneden Was dat even pech. En iemands kunstgebit viel een keer naar beneden. En brillen natuurlijk, hoeden en paraplu's. Portemonnees, dingen die je op de kermis kunt winnen en allerlei andere spullen.
Niet alleen moet je geen spullen meenemen in de bananenboot, je moet er ook niet onder gaan staan. Want dan kun je die spullen op je kop krijgen. Een portemonnee, nou ja, dat valt misschien wel mee. Maar een paraplu, dat doet natuurlijk flink zeer. Daar kun je wel een gat in je kop aan overhouden.
Emma staart naar de bananenboot. De toeter dat iedereen is ingestapt, klinkt net. Daar gaat hij. Op

zijn kop. In de kooi wordt geschreeuwd en gegild. Wat gaat hij hoog! Als je erin zit, kun je vast de hele kermis overzien. Dat is handig, als je iemand zoekt, bijvoorbeeld!
Ze was op vakantie een keer haar bal kwijt. Pap klom toen in een boom. Toen hij daar zo hoog zat, zag hij haar bal liggen. Een rode bal was het, met witte stippen. Ze weet het nog precies, ook al was ze toen pas vijf jaar of zo.
Als je hoog zit, zie je alles, zei pap toen.
Met een ruk draait Emma zich om.
Ze moet haar hoofd in haar nek leggen om de bovenste schuitjes te kunnen zien.
De bovenste schuitjes van het reuzenrad.

14. JOE-HOE!

Daar staat Emma! Links van de bananenboot. En mam. En tante Corrie. Die zoeken hem, want ze kijken in het rond. Nu ziet Michiel ook Pelle in zijn kinderwagentje. Het rad draait door. Langzaam zakt hij naar beneden.
Michiel geeft de hardste schreeuw van zijn leven.
'MAM! MA-A-A-A-M! MA-MA! TANTE CORRIE! EMMA!'
De jongens in zijn schuitje schrikken ervan.
Michiel begint te huilen en te lachen tegelijk. Hij is nu bijna beneden. Hij kan ze nu niet meer zien.
'Daar is mijn moeder,' probeert hij uit te leggen aan de jongens. 'Ik was haar kwijt. Ze weet niet waar ik ben. Ze kan me niet vinden ...'
De jongen van het reuzenrad moet net zijn schuitje hebben. Hij geeft er een harde, zwierende draai aan. Nu gaat Michiel wel weer omhoog, maar moet hij zich om en om draaien. Wanhopig probeert hij Emma's gele jas weer in het oog te krijgen.
'Daar,' wijst hij. 'Daar staan ze. Dat is mijn nichtje, met die gele jas!'
'Maaaam! Mama! Hier ben ik!'
Hij kan niet zo goed meer schreeuwen. Mam hoort hem niet. Hij moet huilen. En huilen en schreeuwen, dat gaat niet goed tegelijk.
'Ze hoort me niet ...' snikt hij.

De grote jongens gaan staan.

'Daarzo!' wijst de grootste naar Emma's gele jas, diep beneden.

Ze schreeuwen met zijn vijven tegelijk. Eigenlijk heel gek. Want ze schreeuwen: 'MAAAM! MAMA' en het is Michiels moeder.

Nu zijn er een paar mensen die omhoogkijken. De jongen die bij de draaimolen hoort, loopt naar achteren om hen te kunnen zien.

'Hela! Hier! HIER IS HIJ! HIERZO!'

'Hoe heet je?'

'Michiel.'

'HIER IS MICHIEL! MA-HAAAM! HIER IS MICHIEL!!'

Michiel moet vreselijk lachen. Tranen lopen over zijn wangen. Het is allemaal zo erg en ook zo gek. Hier draait hij hoog boven de stad in het rond. Mam staat beneden en ze ziet hem niet, en die vijf jongens staan keihard 'mama' te schreeuwen.

'Wat zit je daar nou te lachen?' vraagt een van de jongens.

'Jantje huilt - Jantje lacht,' zegt een andere jongen.

'Dat ... dat jullie, dat jullie 'mama' staan te schreeuwen,' hikt Michiel.

De jongens krijgen er een kleur van. Ze moeten er nu zelf ook om lachen.

'Hoe heet je moeder dan?' vragen ze.

'Heleen,' zegt Michiel.

Ze blijven boven hangen. Beneden beginnen de mensen met uitstappen.

De jongens beginnen weer te brullen. 'HELEEN!

HELEEN. JOEHOE! HÉ-LÉ-HEEN!'
'We moeten onze jassen uittrekken. Schreeuw dan mee, eitje! Of wil je je moeder niet terug?'
Ze trekken hun jassen uit, voorzichtig, om niet naar beneden te vallen.
'Eén, twee, drie!' tellen ze.
Als dollemannen zwaaien ze met hun jassen.
'HE-LE-HEEN! HE-LEEN-TJE! HIERZO! JOE-HOE!'
Michiel schreeuwt mee. Zo hard hij kan. 'Mam! Emma! Tante Corrie!'
Het lukt niet. Er is te veel lawaai op de kermis. Ze kunnen niet zo hard blijven schreeuwen. Hun stemmen worden al schor.
Het lukt niet ...
Plotseling draait Emma zich om. Ze legt haar hoofd in haar nek en kijkt omhoog, recht in Michiels gezicht.

15. Goed gedaan, jongen

'Michiel!'

Emma ziet dat hij haar kan horen. Zij heeft zoveel geschreeuwd, en zo vaak al. Ze is een schreeuwkampioen. Haar moeder en Michiels moeder en verder zo'n honderd mensen draaien zich om en kijken naar haar.

'Waar?' roept Michiels moeder.

Emma wijst. Tante Heleen volgt haar vinger, omhoog, hoger, nog hoger. Emma ziet aan haar gezicht dat ze nu pas begrijpt dat hij boven in het reuzenrad zit.

Het schuitje boven in het rad wiebelt en draait. Het staat vol schreeuwende jongens die met hun jassen zwaaien. En tussen die schreeuwende, grote jongens staat Michiel.

De mond van Michiels moeder gaat wijd open. Ze schreeuwt. Ze schreeuwt niet: 'O, Michiel, daar ben je eindelijk!' of 'Lieverd, hier ben ik!'

Nee, ze schreeuwt: 'Pas toch op! HOU JE VAST!'

Het rad draait. Mensen stappen uit. Michiel is bijna beneden. De jongens hebben hun jassen weer aangetrokken. Ze stompen elkaar en lachen omdat ze met zijn vijven boven in het rad 'MAMA!' stonden te roepen. Ze geven Michiel ook stompen. Niet zo hard, gelukkig. Aardige stompen. 'Goed gedaan,

jongen!' zeggen ze. En: 'Ga maar gauw naar je moeder!'

Hun schuitje is beneden. De jongens tillen Michiel op en zetten hem pardoes over het hek op de grond. Michiel rent recht in zijn moeders armen. Hij krijgt zoenen op zijn haar en zoenen op zijn neus. Tante Corrie knijpt hem liefkozend in zijn armen. Emma schreeuwt een verhaal over een balletje in de gang waar hij niets van begrijpt. En Pelle begint te huilen omdat iedereen schreeuwt en niemand aandacht aan hem besteedt.

'Die stomme, stomme rotballon!' zegt zijn moeder eindelijk. Ze geeft hem nog een laatste zoen. 'Hou de wagen vast en laat hem nooit meer los!' zegt ze dreigend. 'Anders bind ik je vast, net zoals Pelles kabouter!' En tegen tante Corrie zegt ze: 'Kom Corrie, we gaan koffiedrinken!'

'En poffertjes eten?' probeert Emma.

Michiels moeder knikt. 'En Pelle een flesje limonade geven,' zegt ze, want Pelle huilt nog steeds.

In de poffertjestent is het lekker warm. Er brandt een grote kachel en het fornuis geeft ook veel warmte. Michiel zit naast zijn moeder op een smal bankje aan tafel en neemt kleine slokjes van zijn chocolademelk met slagroom. Ze wachten tot de poffertjes klaar zijn. Hij kan over de rand van zijn beker door het raam kijken. Het reuzenrad draait weer. De lichtjes langs de spaken flitsen aan en uit. Daarnet zat hij nog bovenin naar beneden te kijken. Toen dacht hij dat hij mam en tante Corrie nooit zou vinden. En nu zit hij alweer hier.

De kok met de hoge witte muts brengt vier porties poffertjes.

'Joepie!' juicht Emma. Ze steekt er een in haar mond en spuugt hem onmiddellijk weer uit.

'Goeie help, Emma!' zegt tante Corrie kwaad.

'Au, au, au,' jammert Emma. 'Hij was gloeiend heet! Ik heb m'n tong verbrand! Auauauau!'

'Had dan even gewacht, gulzigaard!' Tante Corrie heeft geen medelijden met Emma.

Michiels moeder pakt Pelle zijn flesje af voordat hij het op de grond kan smijten. Met de zijkant van haar vork snijdt ze een poffertje doormidden. Ze prikt een halve aan haar vork. Om hem af te koelen blaast ze er hard tegen. 'Kijk eens, Pelle,' zegt ze. 'Hap maar. Dit is lekker. Hmmmm!'

Pelle doet zijn mondje wijd open en Michiels moeder geeft hem het halve poffertje. Pelle kauwt en kauwt en slikt.

'Hebbe! Hebbe! Hebbe!' schreeuwt hij dan. Hij wipt zo wild op en neer in zijn wagentje dat het bijna kantelt.

'Ho, ho, even wachten,' zegt Michiels moeder. 'Geven jullie hem ook eens een stukje van jullie poffertjes.'

Om beurten voeren ze Pelle, net zo lang tot hij zijn hoofd wegdraait. Dat betekent dat hij genoeg heeft. Michiels moeder veegt zijn mond af met een servetje en klopt Michiels jas af, waar poedersuiker op zit.

'Ik lust best nog meer poffertjes,' probeert Emma.

Tante Corrie geeft haar niet eens antwoord. Ze heeft een spiegeltje uit haar tas gehaald en doet

opnieuw lippenstift op.
Er wordt op het raampje getikt. Buiten staan Alex en zijn vrouw. Alex steekt zijn hoofd om de hoek van de poffertjestent.
'Waar is de ballon?' vraagt Alex.
'O, man! Hou erover op!' zegt Michiels moeder. 'Het is een lang verhaal, te lang om te vertellen. Het komt erop neer dat hij is weggewaaid.'
'Je had hem niet goed vastgebonden!' schreeuwt Emma beschuldigend. 'En Michiel wou hem pakken en toen moest hij met het muziekkorps mee en toen raakte hij kwijt!'
Alex stapt naar binnen.
'Wat vertel je me nou?'
Michiel krijgt een kleur. Hij slaat zijn ogen neer. Hij wou dat Emma haar mond hield, hij wil er niet meer aan denken. Hij is net zo blij dat het allemaal voorbij is. Ze moesten nu maar eens naar de kermis gaan. En dan naar huis. Eigenlijk wil hij wel naar bed.
Zijn moeder denkt er hetzelfde over. 'We waren Michiel kwijt,' zegt ze kort. 'Maar we hebben hem ook weer gevonden, hè schat.'
Nee, hè. Nou zegt ze ook nog 'schat' tegen hem waar iedereen bij is. Michiel wordt nog roder. Zwijgend staart hij naar de tafel. Zijn moeders hand woelt zijn haar door de war. 'Hij is moe,' zegt ze. 'Het was ook een heel avontuur.'
'Nou, gelukkig is hij weer terecht,' zegt Alex.
'Sorry van je ballon,' zegt Michiels moeder met een klein glimlachje.

Alex' vrouw kijkt nu ook om de hoek. Ze knikt naar Michiels moeder en tante Corrie. 'Kom je mee?' vraag ze zacht aan Alex. Alex knikt. Hij steekt zijn hand op. 'Nog veel plezier allemaal! We komen elkaar vast wel weer eens tegen.'
En hij stapt weer naar buiten.

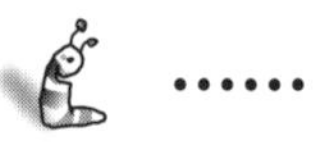

16. Nergens bang voor

Pelle geeuwt. Michiel kijkt naar hem. Plotseling moet hij zelf ook geeuwen. Zijn mond gaat zo ver open dat hij het bij zijn oren hoort kraken.
'Waar is je balletje?' vraagt Emma ineens.
'In mijn zak,' antwoordt Michiel verbaasd.
'Laat eens zien dan,' commandeert Emma.
Michiel voelt in zijn zak. En in zijn andere zak. En in zijn borstzak, ook al weet hij zeker dat hij het balletje daar niet in gestopt heeft.
Zijn moeder zoekt in het netje van de kinderwagen. Ze haalt een balletje aan een elastiekje tevoorschijn.
'Is dit het?' vraagt ze.
Michiel pakt het balletje aan. Hij bekijkt het aandachtig.
'Ik denk het wel,' zegt hij aarzelend. Vragend kijkt hij van zijn moeder naar tante Corrie en Emma.
'Weet je waar we dit gevonden hebben?' schreeuwt Emma.
De kok en alle mensen in het restaurant kijken om. Tante Corrie geeft Emma een harde por. 'Schreeuw toch niet zo!'
'Nou?' vraagt Michiel.
'In de gang van een café!' schreeuwt Emma zacht.
'Michiel, ben jij in de gang van een café geweest?' vraagt zijn moeder.
Michiel hoort aan de toon van haar stem dat ze een

duidelijk antwoord wil. Hij hoort dat ze wil begrijpen hoe dat balletje daar terecht is gekomen.
'Het regende ... het ging steeds harder regenen,' begint hij haperend te vertellen.
Zijn moeder knikt hem toe. 'Vertel maar verder,' zegt ze.
'En er was een hond, daar hadden ze, denk ik, op getrapt en die was bij mij. Enne ... toen gooiden ze een druif en die hond die jankte. En toen heb ik me verstopt onder dat kleed bij die fietsen. En toen was ik een beetje in slaap gevallen, heel even maar. En ineens wist ik weer dat we naar de kermis zouden gaan. Een man zei ook dat ik daarheen moest. En toen ging ik jullie hier zoeken.'
'Een dikke man?' vraagt mam. 'Zei die dikke man van dat café dat?'
Michiel knikt.
'Maar waarom zei je niet tegen hem dat je ons kwijt was geraakt?'
'Hij ging alweer naar binnen.' Michiel haalt zijn schouders op. 'En ik mag van jou toch in een café niet naar binnen? Dus toen ben ik naar de kermis gegaan. Want daar zouden we naartoe gaan.'
'Je balletje lag bij die fietsen!' zegt Emma. 'Ik heb het gevonden! En toen ging je moeder binnen vragen of iemand jou had gezien en toen kwam die dikke man, hè, tante Heleen?'
'Gingen jullie daar gewoon wat drinken?' vraagt Michiel verontwaardigd. 'Zochten jullie mij niet eens?'
Mam schudt haar hoofd. 'Nou zeg, Michiel. Wat

denk je? Dat ik daar rustig koffie heb zitten drinken? Dan ken je me toch slecht! Tante Corrie moest daar even plassen en toen zag Emma het balletje liggen.'
Michiel krijgt alweer een kleur. Hard duwt hij zijn gezicht tegen zijn moeders jas.
'Wat zul je bang geweest zijn,' fluistert ze in zijn haar.
Het blijft even stil.
Dan zegt tante Corrie: 'Over bang zijn gesproken, wie durft er in het spookhuis voor we naar huis en naar bed gaan?'
'Ik!' schreeuwt Emma.
'Ik ook, mam, samen met jou!' roept Michiel.
Tenslotte zeiden die grote jongens in het rad tegen hem: goed gedaan, jongen. Helemaal alleen was hij 's avonds in de stad geweest. En mooi dat hij zijn moeder terug had gevonden! En als hij dat allemaal kan, dan durft hij ook wel met zijn moeder in het spookhuis!

Tante Corrie en Emma passen op Pelle. Ze staan voor het spookhuis bij het wagentje. Ongeduldig wipt Emma van haar ene been op haar andere. Michiel en zijn moeder mogen eerst. Ze zitten al in een karretje. Ze moeten nog even wachten voor ze naar binnen rijden. Voor hen staat een karretje met drie giechelende meisjes erin. Die mogen eerst en dan is Michiels karretje aan de beurt. Michiel zwaait naar Emma en tante Corrie. Ze zwaaien terug. Zijn moeder slaat haar arm stevig om hem

heen. Plotseling schieten de karretjes met een schok vooruit. Gillend verdwijnen de drie meisjes door de klapdeuren naar binnen.
Michiels moeder knijpt in zijn arm. 'Nu gaan wij bijna, hoor, Michiel,' zegt ze. Ze lacht zacht van plezier.
Vlak naast Michiel gaat er plotseling een zwarte kist open. Er komt een geraamte van rammelende botten uit omhoog. Met grote ogen staart Michiel ernaar.
'Mam, durf jij wel?' vraagt hij.
Bezorgd kijkt ze opzij.
'Ik wel. Maar jij? Durf jij wel?'
Het geraamte zakt terug in de kist.
'Tuurlijk,' zegt Michiel. 'Ik ben nergens meer bang voor.'
De toeter gaat. Vooruit schiet zijn karretje ineens, met een bonk tegen de klapdeuren aan, die wijd openslaan. Ze rijden naar binnen, het stikdonker in.
Michiels moeder gilt. Michiel gilt al net zo hard. Maar ze zijn niet bang, hoor.
Natuurlijk niet.